Ingo Siegner

Der kleine Drache Kokosnuss
bei den Indianern

Ingo Siegner

Der kleine Drache Kokosnuss
bei den Indianern

MIX
Papier aus verantwor-
tungsvollen Quellen
FSC® C010328

Verlagsgruppe Random House FSC® N001967

10. Auflage
© 2011 cbj Kinder- und Jugendbuchverlag
in der Verlagsgruppe Random House GmbH,
Neumarkter Str. 28, 81673 München
Alle Rechte vorbehalten
Umschlagbild und Innenillustrationen: Ingo Siegner
Lektorat: Hjördis Fremgen
Umschlagkonzeption: basic-book-design, Karl Müller-Bussdorf
hf · Herstellung: hag/Sabine Kittel
Satz und Reproduktion: Lorenz & Zeller, Inning a. A.
Gesamtproduktion: Alföldi Nyomda Zrt., Debrecen
ISBN 978-3-570-15281-2
Printed in Hungary

www.cbj-verlag.de
www.drache-kokosnuss.de

Inhalt

Oskar ist wütend

Der Fressdrachenjunge Oskar stapft wütend über den Strand.

»Was machst du denn für ein Gesicht?«, fragt der kleine Drache Kokosnuss.

»Grrrg, mein Vater will, dass ich ihm Büffelfleisch besorge.«

»Wieso das denn?«, fragt Matilda das Stachelschwein.

»Er hat gehört, das soll besonders gut schmecken. Jetzt muss ich ihm das besorgen. Er meint, ich soll auch einmal etwas Sinnvolles tun.«

»Toll«, sagt Matilda. »Was ist daran denn sinnvoll?«

Kokosnuss überlegt. »Hier auf der Dracheninsel gibt es doch gar keine Büffel.«

»Die leben in der Prärie«, sagt Oskar. »Das ist in Amerika und Eugen soll mich hinbringen. Eugen schulde ihm noch einen Gefallen, sagt mein Vater.«

Matilda rümpft die Nase. »Eugen hat unsere Klasse einmal nach Afrika geflogen. Mannometer, mir ist vielleicht schlecht geworden!«

»Und wie willst du einen Büffel fangen?«, fragt Kokosnuss.

Oskar zuckt mit den Schultern. »Weiß ich noch nicht.«

»Wir kommen mit und helfen dir«, sagt Kokosnuss.

Matilda verdreht die Augen. »Das war ja klar.«

»Freunde müssen einander helfen«, sagt der kleine Feuerdrache. »Und außerdem wollte ich schon immer mal in die Prärie.«

Oskars Augen leuchten. Nun muss er nicht alleine auf die Büffeljagd.

Eugen ist ein großer Gründrache. Er ist ein besonders guter Flieger und transportiert Drachen und andere Bewohner der Dracheninsel in alle Welt.

Als die Freunde bei Eugen eintreffen, haben sie für die Reise nach Amerika alles dabei: ein Lasso,

Trinkflaschen, etwas zu essen und andere nütz-
liche Dinge. Kokosnuss trägt seinen Pistolengürtel
mit der Holzpistole vom letzten Kostümfest.
Matilda hat einen Cowboyhut auf und Oskar lugt
unter einem Sombrero[1] hervor.
Eugen macht große Augen.
»Was habt ihr denn vor?«, fragt der Gründrache.
»Wir müssen zur Büffeljagd in die Prärie«, sagt
Kokosnuss.
»Soso, Büffeljagd. Und ich soll euch wohl
dorthin fliegen?«
»Genau«, sagt Oskar. »Mein Papa sagt, du
schuldest ihm noch einen Gefallen und deshalb
würdest du uns fliegen.«
»Einen Gefallen? Was denn für einen Gefallen?«
»Öh, das weiß ich nicht genau,
aber mein Papa meinte, wenn du
uns nicht fliegst, dann frisst er
dich zum Frühstück.«

[1] Ein Sombrero ist ein breitkrempiger
Strohhut, der gut vor der Sonne schützt.
Er wird zum Beispiel in Mexiko getragen.

Eugen verzieht das Maul. »Ach, so einen
Gefallen meint er. Verstehe. Also, dann springt
mal auf!«

Büffeljagd!

Eugen fliegt mit seinen Passagieren durch die Nacht und schon am Morgen darauf erreichen sie die Prärie Nordamerikas. Der Gründrache landet auf einer kleinen Erhebung, lässt die drei Freunde absteigen und legt sich unter einen knorrigen Baum.

»Diesmal ist mir gar nicht schlecht geworden«,
sagt Matilda erleichtert.

»Wieso sollte dir schlecht werden?«, fragt Eugen.

»Auf dem Flug nach Afrika hast du gewackelt
wie eine Zitterpappel.«

»Quatsch mit Soße«, brummt Eugen.

»Wohl!«

»Kann nicht sein!«

»Wohl!«

»He, Leute«, sagt Kokosnuss, »guckt mal, da
hinten, sind das Büffel?«

Bis zum Horizont dehnt sich die riesige Prärie
aus. Hier und dort erheben sich mächtige
Felsen, die im Rot der Morgensonne leuchten.
In einiger Entfernung erkennen die Freunde
dunkle Punkte, die sich langsam über die Ebene
bewegen.

»Richtig, das sind Büffel«, sagt Eugen. »Ihr
könntet mir übrigens ein wenig Büffelfleisch
mitbringen, sozusagen als Entschädigung. Aber
nehmt euch vor den Sioux-Indianern in Acht.«

»Hier gibt's Indianer?«, fragt Kokosnuss.

»Aber hallo!« Der Gründrache macht es sich
bequem, schließt die Augen und murmelt: »Ich
warte hier solange auf euch.«
Die Freunde blicken sich verstohlen um. Doch
von Indianern ist keine Spur zu sehen. Sie
packen ihre Sachen und brechen auf.
Der Weg zu den Büffeln führt durch karges,
steiniges Gelände und grünes Steppenland.
»Ich frage mich, wovon die Indianer leben«,
sagt Matilda. »Hier gibt's nichts außer Gras und
Steine.«
»Und Büffel«, brummt Oskar.
»Ich fliege ein Stück voraus«, sagt Kokosnuss.
»Vielleicht finde ich ein gutes Versteck.«
Ganz in der Nähe der kleinen Büffelherde
entdeckt der Drachenjunge einen Felsen.

Nachdem die Freunde hier ihr Lager aufgeschlagen haben, legen sie sich auf die Lauer und
beobachten die grasenden Büffel.

»Die sind ja riesengroß«, staunt Matilda.

»Da gibt's auch kleine«, sagt Oskar und zeigt auf
ein Büffeljunges.

»Ist das niedlich! Wie ein kleiner Wuschel sieht
der aus!«, sagt Matilda.

»Den möchte ich aber nicht jagen«, sagt
Kokosnuss.

»Ich auch nicht«, murmelt Oskar und seufzt.

Matilda zeigt auf einen großen Büffel, der abseits
der anderen steht. »Wie wäre es denn mit dem
dort?«

Oskar schluckt. »Der sieht ziemlich ungemütlich
aus.«

»Dein Vater würde den mit einem Happs
verschlingen.«

»Ich bin aber nicht mein Vater.«

»Ich könnte mich von der anderen Seite anpir-
schen und ihn mit einem Feuerstrahl zu euch
treiben«, schlägt Kokosnuss vor.

»Und dann?«, fragt Matilda.

»Öh, dann treibt ihr ihn in die Enge.«

Matilda sieht sich um. »In welche Enge?«

»Ich könnte ihn mit dem Lasso einfangen!«, sagt Oskar.

»Gute Idee!«, rufen Kokosnuss und Matilda.

Der kleine Feuerdrache fliegt in einem weiten Bogen um den Büffel herum und schleicht sich im Schutz der Präriebüsche an. Der riesige Bulle zupft ahnungslos an einem Büschel Gras herum. In diesem Moment springt Kokosnuss aus seinem Versteck und speit einen mächtigen Feuerstrahl in die Luft. Der Büffel kriegt einen Riesenschreck. Doch statt fortzulaufen, rennt er wutschnaubend auf den kleinen Drachen zu.

»Heee! Nein!«, schreit Kokosnuss. »In die andere Richtung!«

Im Zickzack fliegt er vor dem wild gewordenen Büffel her und speit immerzu Feuer, doch der große Bulle lässt sich nicht abschütteln.

»Achtung! Er kommt!«, ruft Kokosnuss.
Oskar steht auf dem Felsen und schwingt das
Lasso.
Matilda schaut hinter dem Felsen hervor und
murmelt: »Auweia.«
Als Kokosnuss mit einem Feuerschweif vorbei-
zischt, ist ihm der Büffel dicht auf den Fersen.

Oskar wirft die Lassoschlinge – Treffer! Die
Schlinge legt sich um den mächtigen Hals des
Büffels.
»Ich hab ihn!«, ruft Oskar.
Im selben Moment reißt der Büffel ihn fort.
Als das Tier die Schlinge um seinen
Hals bemerkt, bremst es abrupt

ab und wirbelt herum, sodass der arme Oskar in hohem Bogen durch die Luft geschleudert wird.

»Lasso loslassen!«, ruft Kokosnuss.

Der kleine Fressdrache lässt los und landet mit seinen Rückenstacheln an einem Kaktus – autsch! Blitzschnell ist Kokosnuss zur Stelle. »Hast du dir wehgetan?«

»Nö, aber ich stecke fest.«

Da hören sie hinter sich ein wütendes Scharren und Schnauben. Erschrocken dreht Kokosnuss sich um. Nur wenige Schritte entfernt steht der Büffel und starrt sie mit blitzenden Augen an. Jetzt senkt er den mächtigen Kopf, schüttelt das Lasso ab und droht mit seinen spitzen Hörnern.

»K-Kokosnuss«, flüstert Oskar. »D-du hast nicht zufällig eine Idee?«

Ehe Kokosnuss antworten kann, ertönt ein bedrohliches Rasseln. Der Büffel erstarrt. Plötzlich rennt er, wie vom Blitz getroffen, auf und davon.

Auch die beiden Drachenjungen haben sich erschreckt. War das eine Klapperschlange?

Hinter einem Busch lugt Matilda hervor und sagt:
»Wozu ein Rasselschwanz doch gut sein kann!«
»Matilda!«, ruft Kokosnuss freudestrahlend.
»Guter Trick!«, sagt Oskar. »Äh, aber könntet ihr
mich jetzt bitte von dem Kaktus ziehen?«
Mit vereinten Kräften befreien Kokosnuss und
Matilda den kleinen Fressdrachen aus seiner
misslichen Lage.
Danach trotten die drei Freunde zu ihrem
Lager zurück. Sie schichten ein paar
Zweige auf, doch als
Kokosnuss das trockene
Holz mit einem Feuer-
strahl entzünden will,
kommen nur kleine
Rauchwölkchen und
winzige Funken aus
seinem Maul.
»Auch das noch«, sagt
der kleine Drache. »Ich
habe bei der Büffeljagd mein
ganzes Feuer aufgebraucht.

Und das Feuergras² für den Nachschub habe ich vergessen.«

»Oje«, sagt Matilda. »Die Sonne geht bald unter und in der Prärie kann es nachts ganz schön kalt werden.«

»Und wie kommen wir jetzt an Büffelfleisch heran?«, fragt Oskar.

»Wir könnten die Indianer mal fragen«, sagt Kokosnuss.

»Ich weiß nicht«, entgegnet Matilda. »Ich habe gehört, dass die Sioux sehr gefährlich sind. Die sollen Marterpfähle haben und so was.«

Plötzlich springt Oskar auf und rennt blitzschnell hinter den Felsen.

»Oskar?«, ruft Kokosnuss.

Der kleine Fressdrache kommt wieder hervor und murmelt: »Ich dachte, da war jemand.«

Da erschrickt Kokosnuss. Von dem Felsen blickt ein Indianermädchen herab.

² Feuerdrachen müssen von Zeit zu Zeit Feuergras fressen, um Feuer speien zu können. Nur bei ganz kleinen Drachen kehrt die Feuerkraft nach einer Weile von selbst zurück (siehe »Der kleine Drache Kokosnuss feiert Weihnachten«).

Wilde Hummel und Früher Vogel

In ihren Händen hält die kleine Indianerin einen
Flitzebogen. Aus ihrem pechschwarzen Haar ragt
eine Adlerfeder und über ihrer Schulter hängt
eine tote Schlange.
Kokosnuss fasst sich ein Herz und fragt: »Hast du
die Schlange erlegt?«
»Ja, für Schlangensuppe.«

Matilda rümpft die Nase. »Schlangensuppe, igitti!«

»Schlange über Feuer geröstet schmeckt gut«, sagt das Indianermädchen.

Oskar würgt und sagt: »Ich esse kein Fleisch.«

Das Gesicht des Indianermädchens verfinstert sich. »Und warum habt ihr dann den Büffel gejagt?«

»Mein Papa möchte gerne Büffel essen.«

»Die Fremdlinge wissen wohl nicht, dass die Büffeljagd verboten ist.«

»Warum denn das?«, fragt Kokosnuss verblüfft.

»Die Bleichgesichter[3] haben zu viele Büffel getötet. Die Sioux warten nun, bis die Büffel wieder in großen Herden über die Prärie ziehen.«

»Und solange müsst ihr Schlangen essen?«, fragt Matilda.

Ein Lächeln huscht über das Gesicht der kleinen Indianerin.

»In der Prärie gibt es viele Dinge, um den Hunger zu stillen.«

---

[3] »Bleichgesichter« ist eine Bezeichnung für den weißen Mann. Damit sind Menschen mit heller Hautfarbe gemeint.

Behände springt sie vom Felsen und beginnt zu graben. Nach kurzer Zeit holt sie aus einem Erdloch eine Handvoll Bohnen.

»Die Wiesenmaus hat fleißig gesammelt«, sagt sie und schüttet das Erdloch sorgsam wieder zu.

»Da liegen doch noch viel mehr Bohnen drin!«, protestiert Oskar.

»Kleiner Drache hüte sich davor, alle Bohnen zu nehmen. Ein Teil ist für die Sioux, der andere Teil bleibt für die Maus.«

Die Indianerin klemmt einen Holzstab zwischen ihre Füße und reibt das Ende eines zweiten Stabes so lange auf dem Holz, bis Rauch entsteht. Sie legt etwas trockenes Gras dazu und

pustet. Im Nu knistert ein Lagerfeuer. Dann holt
sie eine kleine Pfanne hervor und röstet darin
die Bohnen.

»Wie das duftet!«, sagt Matilda.

»Ihr dürft essen«, sagt das Indianermädchen.
Die vier lassen sich die gerösteten Bohnen
schmecken.

»Du bist sehr geschickt«, sagt Kokosnuss.

»Wilde Hummel ist eine Sioux«, sagt das
Mädchen ernst.

Oskar blickt sich um. »Hier gibt's wilde
Hummeln? Wo?«

»Das ist mein Name. Wilde Hummel ist Tochter
von Früher Vogel und Runde Sonne.«

Plötzlich hält das Mädchen inne. Kokosnuss,
Matilda und Oskar fährt ein Schreck in die
Glieder: Drei Indianer blicken finster von ihren
Pferden auf sie herab.

Matilda flüstert kaum hörbar: »Wo kommen die
denn plötzlich her?«

Einer der Indianer erhebt seine Stimme: »Wilde
Hummel hat hier nichts zu suchen!«

Das Indianermädchen tritt vor und sagt: »Wilde Hummel hat eine Schlange erlegt und Beeren gesammelt.«

»Wilde Hummel ist ungehorsam. Früher Vogel ist betrübt.«

Das Mädchen blickt zu Boden und sagt: »Ich möchte aber eine Jägerin werden.«

»Dein Platz ist an der Seite von Runde Sonne. Du sollst ihr helfen, das Zelt in Ordnung zu halten und unsere Speisen zuzubereiten.«

Matilda flüstert: »Versteht ihr, was der sagt?«

»Ich glaube«, raunt Kokosnuss, »Früher Vogel ist der Name von diesem Indianer und er ist ihr Vater.«

Da spricht der zweite Indianer: »Die Fremdlinge haben einen Büffel gejagt. Sie haben gegen das Gesetz der Prärie verstoßen!«

»Dünner Hering spricht wahre Worte«, sagt Früher Vogel.

»Aber«, ruft Wilde Hummel, »sie wussten doch nicht, dass die Büffel nicht gejagt werden dürfen!«

»Schweig!«, befiehlt Früher Vogel.

Nun erhebt der dritte Indianer die Stimme: »Ehm, vielleicht sollten wir erst mal überlegen und nicht vorschnell urteilen.«

»Ruhige Kugel spricht wie weicher Käse, der in Sonne schmilzt«, sagt der Indianer namens Dünner Hering.

Früher Vogel hebt die Hand und spricht: »So soll der Weise Rat entscheiden, was mit den Fremdlingen geschieht. Wir brechen auf, um pünktlich im Lager zu sein.«

Empört ruft Kokosnuss: »Wir lassen uns nicht einfach gefangen nehmen!«

Der kleine Feuerdrache holt tief Luft, um einen fürchterlichen Feuerstrahl zu speien, doch aus seinem Maul dringt nur eine winzige Rauchwolke.

Stimmt ja, ich habe keine Feuerkraft, denkt der kleine Drache verdrossen.

Mit einem spöttischen Blick bemerkt Dünner Hering: »Die Sioux fürchten Rauchwölkchen nicht.«

»Kommen die Fremdlinge freiwillig mit uns?«, fragt Früher Vogel. »Oder müssen die Sioux sie knebeln und fesseln?«

»W-wir kommen auch so mit«, sagt Matilda mit zitternder Stimme.

Wilde Hummel stößt einen Pfiff aus und ein Pony fegt mit wehender Mähne herbei. Das Indianermädchen schwingt sich auf den Ponyrücken und zieht Matilda zu sich herauf, während Kokosnuss und Oskar auf den Pferden von Dünner Hering und Ruhige Kugel Platz finden.

Im Lager der Sioux

Der Ritt führt flussabwärts durch eine Schlucht bis zu einem See. An dessen Ufern haben die Sioux ihr Lager aufgeschlagen. Von den Feuerstellen zwischen den Tipis steigen dünne Rauchsäulen in den Abendhimmel. Als Früher Vogel und die anderen mit den beiden Drachenjungen und dem Stachelschwein eintreffen, strömen die Indianer zusammen und betrachten neugierig die Fremden.

Eine dicke Indianerin nimmt Wilde Hummel strahlend in die Arme und ruft: »Wo du nur wieder warst, du Ausreißerin!«

»Das ist bestimmt Runde Sonne«, flüstert Matilda. »Wilde Hummel!«, befiehlt Früher Vogel. »Führe die Fremdlinge ins Gäste-Tipi. Dort warten sie auf das Wort des Weisen Rates. Der Rat wird pünktlich bei Sonnenuntergang zusammenkommen.«

Das Gäste-Tipi steht am Rande einer großen Feuerstelle. Als sie es betreten, sieht Kokosnuss sich um. Auf dem Boden liegen weiche Decken, auf einer Kiste stehen Schalen mit Nüssen und Früchten und ein paar Trinkbecher. An einer Stange hängt ein Lederbeutel mit Wasser. In der Mitte des Tipis liegen verkohlte Holzreste. Durch den offenen Eingang erkennen die Freunde acht Indianer, die sich zu der Feuerstelle begeben.

»Der Weise Rat«, flüstert Wilde Hummel. »Es sind die erfahrensten Krieger der Sioux. Mein Vater Früher Vogel und meine Onkel Ruhige Kugel und Dünner Hering sind dabei, um zu berichten.«

»Wer ist denn der mit dem vielen Federschmuck?«, fragt Kokosnuss.

»Das ist der große Häuptling Letztes Wort. Er ist der Älteste und seine Weisheit ist unergründlich. Die anderen sind die Unterhäuptlinge Schwarzer Fuß, Rote Socke, Grüne Leuchte und Gelbes Ei.«

Wilde Hummel hält ihre Hand nach draußen und flüstert: »Der Wind steht gut. Wir werden hören können.«

Gespannt lauschen die Freunde den Stimmen der Indianer.

Als erster erhebt sich Früher Vogel: »Die Fremdlinge sind in unser Land gekommen, um Büffel zu jagen.«

Ein empörtes Raunen und Gemurmel geht durch die Runde.

Ruhige Kugel erhebt sich und spricht: »Die Fremdlinge waren unwissend.«

»Unwissenheit schützt vor Strafe nicht!«, ruft Dünner Hering.

Der große Häuptling Letztes Wort hebt die Hand. Unmerklich nickt er dem Unterhäuptling Schwarzer Fuß zu.

Dieser ergreift das Wort:
»Manitu ist groß. Wer gegen
die Gesetze der Prärie verstößt,
der muss bestraft werden.
Howgh[4].«
Unterhäuptling Rote Socke
entgegnet: »Die Fremdlinge sind
jung und unerfahren. Sie haben
nun gelernt und werden die
Gesetze achten. Howgh.«
Darauf spricht Grüne Leuchte mit ernster
Stimme: »Die Fremdlinge haben
großen Frevel begangen!
Der Büffel hat uns unzählige
Sonnen und Monde lang
ernährt. Erst, wenn der
letzte Büffel erlegt ist,
werden sie merken, dass sie
Gras nicht essen können!«

[4] »Howgh« wird »Hau« ausgesprochen
und ist ein Indianergruß oder heißt:
»Ich habe gesprochen«.

Unter den Häuptlingen breitet sich Gemurmel aus. Einige nicken heftig und andere schütteln die Köpfe.

Letztes Wort hebt die Hand und fragt: »Was will Grüne Leuchte uns damit sagen?«

»Ehm, die Büffeljagd ist verboten und die Fremdlinge müssen bestraft werden. Büffeljagd – nein, danke!«

Nun ist Unterhäuptling Gelbes Ei an der Reihe.

»Freiheit für alle!«, ruft Gelbes Ei.

Wieder erhebt sich ein Geraune und Gemurmel.

»Öh, auch für die Fremdlinge?«, fragt Letztes Wort.

»Auch für diese! Jeder
darf jagen, was und
wo er will! Howgh.«
»Und die Büffel?«, ruft
Grüne Leuchte empört.
»Die Prärie ist ein
ewiges Geben und
Nehmen. Es wird sich
alles fügen.«

»Wie jetzt – ›es wird sich alles
fügen‹!?«, ruft Grüne Leuchte wütend.
Da erhebt Letztes Wort die Stimme: »Grüne
Leuchte und Gelbes Ei sollen ihren alten Streit,
den wir nicht mehr hören können, woanders
austragen!«
Dann schließt er die Augen und brummt unver-
ständliche Worte.
»Was macht er denn jetzt?«, flüstert Matilda mit
zitternder Stimme.
»Letztes Wort grübelt«, antwortet Wilde Hummel.
»Er wird gleich entscheiden, was mit euch
geschieht.«

»U-und w-was kann das sein?«, fragt Kokosnuss
ängstlich.

»Freiheit oder Marterpfahl.«

»M-Marterpfahl?«, wiederholt Matilda. »A-aber
d-das geht doch nicht!«

Der große Häuptling schlägt die Augen auf und
verkündet: »Manitu ist unendlich in seiner Weisheit. Das Gras der Prärie hat kein Ende und
keinen Anfang. Der Regen fällt, wie er fällt, und
der Hase springt, wie er springt. Die Fremdlinge
werden am Marterpfahl dem großen Manitu
geopfert. Howgh, ich habe das letzte Wort
gesprochen.«

»Wie?«, ruft Matilda erschrocken.

Kokosnuss ist fassungslos. »Das können die doch
nicht machen!«

Oskar brummt: »So was! Und was hat das mit
Regen und Hasen zu tun?«

»Nicht alle Worte von Letztes Wort sind ver-
ständlich«, sagt Wilde Hummel.

Kokosnuss sucht fieberhaft nach einem Ausweg.
Da betreten ein paar kräftige Sioux-Krieger das

36

Tipi. Die drei Freunde wehren sich, so gut sie können, aber gegen die Sioux kommen sie nicht an. Sie werden zu dem großen Marterpfahl in die Mitte des Lagers geschleppt und dort festgebunden.

Die Flucht

Der Marterpfahl ist mit geheimnisvollen Bildern bemalt. Auf seiner Spitze hockt ein gierig dreinblickender Geier.

»Was macht der denn da oben?«, fragt Oskar.

»Das möchte ich lieber gar nicht wissen«, murmelt Matilda. Ihre Knie zittern fürchterlich. Wer weiß, was nun mit ihnen geschehen wird?

»Wieso heißt das eigentlich ›Marterpfahl‹?«, fragt Oskar.

»Marter bedeutet Qual, glaube ich«, sagt Kokosnuss. »Also, das ist so eine Art Qualpfahl.«

Matilda schluckt. »Hast du keine Idee, wie wir hier wieder herauskommen? Ich will doch nicht am Marterpfahl enden!«

»Ich find's auch ungemütlich«, brummt Oskar. »Außerdem ist es eng hier zu dritt. In den Indianergeschichten, die ich kenne, hat immer jeder seinen eigenen Marterpfahl.«

»Du hast vielleicht Sorgen!«, sagt Matilda.

Kokosnuss zerrt mit aller Kraft an den Fesseln, doch die sind bickebacke festgezurrt. Plötzlich ertönen die Trommeln der Sioux.

»Auweia, gleich geht's los«, flüstert Matilda verzweifelt.

In diesem Moment huscht ein Schatten hinter einem Tipi hervor.

»Wilde Hummel!«, ruft Kokosnuss.

»Psst!«, zischt das Indianermädchen.

Es löst die Fesseln und führt die Freunde lautlos zu drei Ponys, die abseits vom Lager im Schutz der Uferböschung bereitstehen. Die vier verteilen sich auf die Ponys und reiten flussaufwärts in die große Schlucht hinein.

Matilda atmet aus und seufzt: »Puh, bin ich froh!«

»Warum hast du uns gerettet?«, fragt Kokosnuss.

»Der Weise Rat ist ein Haufen alter Schlümpfe«, antwortet das Indianermädchen wütend.

»Bringen Fremdlinge an den Marterpfahl, so was! Marterpfähle sind Präriegras von gestern. Und dass Mädchen im Camp arbeiten müssen, ist ungerecht. Tipis aufbauen, Tipis abbauen, Felle

gerben, Kleidung waschen, Essen kochen,
Wasser schleppen, das ist alles so anstrengend!
Viel lieber würde ich sammeln und jagen.«
»Und warum dürfen Indianermädchen nicht auf
die Jagd gehen?«, fragt Kokosnuss.
»Tradition«, brummt Wilde Hummel mit
finsterem Blick.
»Tradiwas?«, fragt Oskar.
»Tradition ist«, erklärt Matilda, »zum Beispiel der
Gemüsesuppentag auf der Dracheninsel. Den
gibt's schon immer an jedem letzten Donnerstag
im Monat und deshalb ist er eine Tradition.«
»Gemüsesuppe!«, schwärmt Oskar. »Das ist eine
prima Tradition.«
»Oder dass Fressdrachen Ochsen fressen, ist
auch eine Tradition.«
Oskar verzieht das Maul. »Blöde Tradition.«

Sie erreichen die Stelle, wo ein schmaler Fluss
aus einer Nebenschlucht auf den Hauptfluss trifft.
Wilde Hummel sieht sich um. Der Morgen graut.
»Wir reiten im kleinen Fluss«, sagt das Indianer-
mädchen und führt sein Pony in das flache
Wasser der Nebenschlucht hinein.

So hinterlassen wir keine Spuren, denkt Kokosnuss. Gute Idee.
Im Schritttempo bewegen sich die Freunde durch
die enge Schlucht. An einer Biegung verlassen sie
das Wasser und reiten einen steilen Pfad bergan
bis auf eine Hochebene. Von hier reicht der Blick

bis weit in die Prärie und auf der anderen Seite in die große Schlucht hinein.

»Wie Wilde Hummel es vorausgesehen hat«, sagt Wilde Hummel. »Mein Vater Früher Vogel verfolgt uns durch die große Schlucht.«

Kokosnuss kneift die Augen zusammen. Tatsächlich: Weit unten, in der großen Schlucht, sind drei Reiter zu erkennen.

»Dort sind noch mehr Leute«, sagt Oskar und zeigt auf eine Stelle weiter flussaufwärts.

»Verfolgen die uns auch?«

Wilde Hummel reckt den Hals. Ihre Miene verfinstert sich.

»Bleichgesichter«, sagt sie. »Büffeljäger.«

Kokosnuss hat einen Plan

Kokosnuss blickt genauer hin. »Die verstecken sich hinter den Felsen!«

Wütend reißt Wilde Hummel die Zügel herum. »Bleichgesichter wollen meinem Vater Falle stellen. Wilde Hummel wird ihren Vater retten!«

»Ganz allein?«, fragt Matilda.

»Wilde Hummel kennt keine Furcht!«

»Die haben aber Schießgewehre«, entgegnet Kokosnuss.

In diesem Augenblick ertönt ein Schuss. Die Freunde sehen, wie die Büffeljäger die nichts ahnenden Indianer überrumpeln. Früher Vogel, Dünner Hering und Ruhige Kugel sind tapfere Krieger, doch gegen Gewehre können sie nichts ausrichten.

»Was haben die weißen Männer vor?«, fragt Matilda.

»Sie wollen meinen Vater und meine Onkel als Sklaven verkaufen«, sagt Wilde Hummel zornig.

45

»Sklaven?«, wiederholt Kokosnuss. »Ist das nicht verboten?«

Mit blitzenden Augen spottet das Indianermädchen: »Der weiße Mann hält sich an kein Gesetz. Sein Wort gilt weniger als der Atemhauch der Bohnenmaus.«

Kokosnuss betrachtet die Stelle zwischen den Felsen, an der die Büffeljäger ihr Lager einrichten. Die Indianer sind an einen Baum gefesselt. Der kleine Drache überlegt. Er durchsucht seine Tasche.

»Aha, dachte ich's mir doch«, murmelt er.

»Was meinst du?«, fragt Matilda.

Kokosnuss grinst. »Ich habe die Luftballons und die Rolle Bindfaden vom Fasching dabei.«

»Was willst du denn damit?«

Der kleine Drache erklärt den anderen, was er vorhat.

Das Indianermädchen blickt Kokosnuss an und sagt: »Wilde Hummel ist beeindruckt von dem Plan des kleinen Drachen.«

Um von den Büffeljägern nicht gesehen zu werden, reiten die Freunde ein Stück weit flussaufwärts in die große Schlucht hinab, lassen ihre Pferde in sicherer Entfernung zurück und schleichen sich an.

Matilda stellt die drei Trinkflaschen auf einen der Felsen und versteckt sich. In den Pfoten hält sie Bindfäden, deren Enden an den Flaschen befestigt sind.

Kokosnuss und Oskar verstecken sich hinter den Felsen auf der gegenüberliegenden Seite. Wilde Hummel kriecht lautlos in das Gebüsch dazwischen. Von ihren Verstecken aus ist das Lager der Büffeljäger nur wenige Schritte entfernt. Gleich daneben sehen sie die drei Indianer, die an den Baumstamm gebunden sind. Das Herz von Wilde Hummel pocht laut, als sie ihren Vater in Fesseln sieht, doch ihre Hand hält Pfeil und Bogen ganz fest und ruhig.

Während Oskar leise die Luftballons aufbläst, betrachtet Kokosnuss die Büffeljäger. Auf den Köpfen tragen sie breitkrempige Hüte und in ihren Gesichtern wuchern struppige Bärte. Sie sitzen an einem kleinen Feuer und braten Bohnen und Speck. Die Gewehre lehnen gleich daneben an einem Fels.

Zu dumm, denkt der kleine Drache, dass wir die drei Indianer nicht heimlich befreien können. Der Baum steht zu nah bei den Büffeljägern. Anschleichen unmöglich.

Kokosnuss atmet tief durch. Sein Plan ist gefährlich, aber mit ein bisschen Glück könnte es klappen. Er bindet sich ein Tuch vors Gesicht und setzt Oskars Sombrero auf. Dann springt er auf den Fels.

Luftballons und Holzpistole

Die Büffeljäger löffeln ihre Bohnen mit Speck aus blechernen Tellern. Den kleinen Drachen, der sie vom Felsen aus beobachtet, haben sie noch nicht bemerkt. Früher Vogel aber blickt verblüfft zu Kokosnuss hinauf. Dieser gibt Oskar ein Zeichen, und der Fressdrachenjunge schlägt seine spitzen Krallen in einen Luftballon, der mit einem lauten Knall zerplatzt.

Erschrocken springen die Büffeljäger auf. Jetzt sehen sie die Gestalt auf dem Felsen stehen. Sie schaut unter einem Sombrero hervor. Das Gesicht ist verhüllt und in der Hand lässt sie eine Pistole kreisen.

»Guten Abend, Hombres[5]!«, ruft Kokosnuss.

»Was willst du?«, brummt der dickere der beiden Büffeljäger, und seine Hand bewegt sich zu der Pistole, die er am Gürtel trägt.

»Hände weg von der Pistole!«, ruft Kokosnuss.

[5] *Hombre* ist Spanisch und heißt *Mann*. Es wird *Ombre* ausgesprochen.

»Sonst hat euer letztes Stündlein geschlagen!«
»Haha!«, lacht der Büffeljäger. »Du halbe Portion willst uns Angst einjagen? Du weißt wohl nicht, mit wem du es zu tun hast, du Knallerbse!«
»Nein, aber du wirst es mir gleich sagen, du Kartoffelpuffer!«
Mit einem grimmigen Blick sagt der Büffeljäger: »Ich bin Burt Brewster Bronson[6], genannt Büffelo Bandido Bigbäng. Und dies ist mein Partner Bärentöter-Bernd, genannt ›die Katze von Wyoming[7]‹.

Wir sind Trapper der Prärie und mit uns ist nicht
zu spaßen, Fremder!«

»Wahrscheinlich habt ihr noch nicht gemerkt,
mit wem ihr es zu tun habt«, ruft Kokosnuss und
hält seine Pistole in die Luft. »Ich bin Slim Wayne
Cartwright, besser bekannt unter dem Namen
Bronco Red River Boone, genannt ›die Klapperschlange von Kentucky[8]‹, und niemand zieht
schneller als ich, nicht mal ich selbst!«

[6] Im Englischen wird Burt Brewster Bronson *Bört Bruster Bronsen*
ausgesprochen.
[7] Wyoming ist ein Staat in den USA und wird *Weioming* ausgesprochen.
[8] Wayne Cartwright wird *Wejn Kartreit* ausgesprochen, Boone *Buun*
und Kentucky *Kentacki*. Kentucky ist ebenfalls ein Staat in den USA.

Ein Knall ertönt und die Trapper zucken zusammen.

»Die sieht gar nicht aus wie eine echte Pistole!«, meldet sich Bärentöter-Bernd.

Kokosnuss pustet etwas Rauch über den Lauf seiner Holzpistole, doch die Trapper werfen einander einen misstrauischen Blick zu.

Der kleine Drache lässt sich nicht beirren.

»Nun packt eure Siebensachen und verschwindet. An diesem Ort ist kein Platz für uns drei!«

Mit diesen Worten zielt er auf die Trinkflaschen. Im selben Moment knallen drei Luftballons und Matilda zieht an den Bindfäden. Die drei Flaschen fallen scheppernd zu Boden.

Die Trapper sind beeindruckt.

Doch dann sagt Bärentöter-Bernd: »Diese Flaschen werde ich mir mal genauer ansehen.«

Er geht ein paar Schritte auf den Felsen zu, hinter dem Matilda sich versteckt hält.

Da hört Kokosnuss Oskar flüstern: »Die Luftballons sind aufgebraucht.«

Schnell ruft der kleine Feuerdrache: »Keinen

Schritt weiter oder ich rufe meine fünfzig Klapper-
schlangen!«

»Ha!«, grinst Bärentöter-Bernd. »Da lachen ja
die Präriehühner!«

Doch plötzlich rasselt es bedrohlich hinter dem
Felsen. Bärentöter-Bernd bleibt wie angewurzelt
stehen. Langsam weicht er zurück.

»Und jetzt schnallt eure Pistolengürtel ab!«,
befiehlt Kokosnuss.

Langsam lösen die Büffeljäger ihre Gürtel und
lassen sie zu Boden gleiten. In diesem Moment
dreht sich Burt Brewster Bronson blitzschnell um
und will sein Gewehr ergreifen. Da zischt ein Pfeil
durch die Luft und bohrt sich in Burts Hintern.

»Aua! Autschi!«, schreit der Trapper und
hält seinen schmerzenden Po.

Bärentöter-Bernd reißt die Arme
hoch und ruft: »Ich ergebe
mich!«

Mit einem Pfeil im Anschlag
tritt Wilde Hummel aus
ihrem Versteck. Auch

Matilda und Oskar kommen hervor. Kokosnuss
fliegt zu den Indianern und löst die Fesseln.
Die Büffeljäger trauen ihren Augen nicht: Sie
wurden von zwei kleinen Drachen, einem
Stachelschwein und einem Indianermädchen
besiegt. Bärentöter-Bernd wird von Dünner
Hering und Ruhige Kugel gepackt, während
Früher Vogel den Pfeil aus Burt Brewster Bronsons
Hintern zieht.
»Aua, aua, aua!«, brüllt der Trapper.

»Bleichgesicht jammert wie altes Waschweib über kleinen Kinderpfeil«, sagt Früher Vogel streng und schmiert etwas Sioux-Spezialkräuterpaste auf die Wunde. »Pfeil hat dicken Trapper-Po nur zur Hälfte durchdrungen. Mit Salbe schließt sich Wunde schnell und Po ist zur rechten Zeit bereit für Marterpfahl. Howgh.«

»Ma-Ma-Marterpfahl?«, wiederholt Burt Brewster Bronson.

»A-a-a-a-a-ber ...«, stottert Bärentöter-Bernd.

»Was denkt ihr denn!«, sagt Dünner Hering.

»Dass wir euch laufen lassen?«

»Genau das werden wir tun«, meldet sich Wilde Hummel mit fester Stimme.

»Gute Idee!«, sagt Kokosnuss.

»Marterpfahl – nein danke!«, sagt Matilda.

»Bin dabei!«, sagt Oskar.

Früher Vogel aber spricht mit strenger Miene: »Bleichgesichter gehören an den Marterpfahl. Das ist klar wie Präriehuhn-Suppe.«

»Wilde Hummel«, sagt das Indianermädchen, »und ihre Freunde haben die Bleichgesichter besiegt. Nach dem Gesetz der Prärie gehören die Gefangenen uns.«

Früher Vogel spitzt die Lippen und wirft seiner Tochter einen grimmigen Blick zu.

»Ehm, wir sollten nochmal darüber nachdenken«, sagt Ruhige Kugel.

»Hmpf«, murmelt Früher Vogel. »Stimmt. So lasst die Bleichgesichter laufen. Möge Manitu uns beistehen.«

»Jippie!«, ruft Bärentöter-Bernd und tanzt vor Freude im Kreis.

»Aber ohne Waffen und ohne Stiefel«, sagt Wilde Hummel. »Und ihr müsst versprechen, nie wieder Büffel zu jagen!«

»Äh, Trapper-Ehrenwort!«, sagen Burt Brewster Bronson und Bärentöter-Bernd, ziehen ihre Stiefel aus, besteigen ihre Pferde und reiten davon, so schnell sie können.

Dünner Hering blickt ihnen wütend nach und brummt: »Unverschämtheit. Dünner Hering wird sich beim Weisen Rat beschweren.«

Früher Vogel aber spricht: »Wilde Hummel ist eine tapfere Sioux und ihr Pfeil trifft sein Ziel. Obwohl Wilde Hummel die Bleichgesichter freigelassen hat, ist Früher Vogel stolz.«

»Dann darf ich nun eine Jägerin werden?«, fragt das Indianermädchen.

»Frag Runde Sonne!«, antwortet Früher Vogel, springt auf sein Pferd und befiehlt: »Nehmt

Stiefel und Waffen mit! Wir reiten zurück, um pünktlich im Tipi-Camp zu sein.«

»Und was ist mit uns?«, fragt Kokosnuss.

»Ihr seid tapfere Krieger und dürft ziehen, wohin ihr wollt. Howgh.«

Dünner Hering legt seine Hände auf die Brust und sagt: »Dünner Hering hat sich in den Fremdlingen getäuscht. Ihr seid in Ordnung.«

»Ähm«, meldet sich Oskar. »Ich habe ein wenig Hunger. Habt ihr zufällig etwas zu beißen dabei?«
Ruhige Kugel grinst und sagt: »Im Lager gibt es genug für alle!«
»Und wir müssen nicht mehr an den Marter-pfahl?«, fragt Matilda.
»Großes Indianer-Ehrenwort!«, antworten die drei Sioux.
So schließen sich Kokosnuss, Matilda und Oskar den Indianern an.

Während des Rückwegs zum Lager der Sioux bemerkt Kokosnuss das wütende Gesicht von Wilde Hummel.
»Ist Runde Sonne deine Mutter?«, fragt der kleine Drache.
»Ja. Und wenn sie Nein sagt, dann darf ich keine Jägerin sein.«
»Und wenn sie Ja sagt?«, fragt Matilda.
»Sagt mein Vater auch Ja.«

Büffelgulasch

Am Abend erreichen die Freunde das Lager der Sioux. Früher Vogel, Dünner Hering und Ruhige Kugel schildern dem Weisen Rat, wie sie von Wilde Hummel und den Fremdlingen gerettet wurden.

Der große Häuptling Letztes Wort hört schweigend zu. Dann spricht er: »Die Fremdlinge haben gehandelt wie Sioux. Ein Jammer, dass sie Fremdlinge sind. Wenn es ihr Wunsch ist, dürfen sie ihrer Wege gehen oder bei uns bleiben, je nachdem. Groß ist Manitus Weisheit und klein ist der Präriehase. Howgh, ich habe gesprochen.«

Matilda flüstert Wilde Hummel zu: »Das mit dem Präriehasen habe ich nicht verstanden.«

»Das versteht nie einer«, flüstert das Indianermädchen zurück.

In diesem Moment ertönt ein Gong, und die Indianer strömen zu einem großen Kessel, der

auf der Feuerstelle steht. Dem Kessel entsteigt
ein köstlicher Duft.

Dritter Stern, die Köchin der Sioux, verteilt mit
einer Kelle das Essen.

»Ist da Fleisch drin?«, fragt Oskar, als er an der
Reihe ist.

»Iwo«, antwortet Dritter Stern. »Dritter Stern
kocht vegetarisch. Wenn Kleiner Drache Fleisch
möchte, so gehe er in das Küchentipi. Dort
bekommt er Schlangensuppe.«

»Nein, danke, ich bin Vegetarier.«

Auch Kokosnuss und Matilda essen heute lieber vegetarisch. Mit vollen Schalen setzen sie sich an das Feuer von Wilde Hummel und ihrer Familie.

»Schmeckt ja köstlich!«, sagt Kokosnuss.

»Büffelgulasch«, sagt Wilde Hummel.

Oskar lässt vor Schreck beinahe seine Schale fallen.

»A-aber der Koch hat gesagt, da ist kein Fleisch drin!«

»Vegetarisches Büffelgulasch«, erklärt Früher Vogel. »Merkt kein Mensch.«

Oskar probiert vorsichtig einen weiteren Löffel voll. »Kein Fleisch?«

»Garantiert«, sagt Wilde Hummel. »Aber es schmeckt wie Büffel.«

Kokosnuss überlegt. »Könnten wir davon zwei Portionen mit nach Hause nehmen?«

Matilda grinst und flüstert: »Gute Idee, Kokosnuss!«

»Früher Vogel wird gleich morgen mit Dritter Stern sprechen«, sagt Früher Vogel.

Rückkehr

Am nächsten Morgen begleitet Wilde Hummel die Freunde in die Prärie zurück. Zwei Packpferde tragen große Tongefäße voll mit vegetarischem Büffelgulasch.

Die kleine Indianerin trägt stolz eine zweite Adlerfeder im Haar.

»Was bedeutet die zweite Feder?«, fragt Matilda. Wilde Hummel strahlt und antwortet: »Wilde Hummel wird eine Jägerin. Runde Sonne ist einverstanden, und wenn Wilde Hummel einmal groß ist, dann wird sie ein Häuptling sein!«

Bald haben sie die Schlucht hinter sich gelassen
und erreichen den Platz, an dem Eugen auf
sie wartet. Gemeinsam wird das Büffelgulasch
abgeladen. Dann verabschiedet sich das
Indianermädchen: »Lebt wohl, meine Freunde!
Hoffentlich vergehen nicht zu viele Monde,
bis wir uns wiedersehen!«
Mit diesen Worten schwingt sich Wilde Hummel
auf ihr Pony und reitet mit den anderen Pferden
zurück zum Tipi-Camp.

Kokosnuss blickt ihr nach. »Wilde Hummel wird bestimmt einmal eine gute Anführerin ihres Stammes.«

»He, Leute«, meldet sich Eugen. »Das hat aber gedauert. Ich habe einen riesigen Kohldampf! Habt ihr wenigstens ein paar Büffel gefangen?«

»Das nicht, aber ...«, sagt Matilda, doch Kokosnuss unterbricht sie.

»Wir haben zwei große Portionen Büffelgulasch dabei. Eine ist für dich und eine für Oskars Vater.«

»Bravo«, brummt Eugen zufrieden und macht sich über die eine Portion des Gulaschs her. Gespannt beobachten die Freunde, ob es dem Gründrachen schmeckt. Dieser schmatzt und schleckert nach Herzenslust. Als er alles aufgegessen hat, stößt er ein mächtiges Drachenbäuerchen aus und sagt zufrieden: »Das war das beste Büffelfleisch, das ich je gegessen habe! Los geht's, Freunde, aufsitzen!«

65

Am nächsten Tag erreichen die
Freunde die Dracheninsel.
Eugen setzt sie samt Gulasch-
topf vor der Höhle von Oskars
Familie ab und macht sich
schnell aus dem Staub, denn
die Fressdrachen können sehr
ungemütlich werden.

»Hoffentlich mag dein Vater das Büffelgulasch«,
murmelt Kokosnuss.

»Auweia, wenn der merkt, dass das kein Fleisch
ist«, flüstert Matilda ängstlich.

»Äh, stimmt«, sagt Oskar. »Vielleicht versteckt
ihr euch lieber im Gebüsch und wartet hier auf
mich.«

Das lassen sich Kokosnuss und Matilda nicht
zweimal sagen. Flink huschen sie hinter einen
Busch und warten ab.

Oskar will gerade die Höhle betreten, als er
schwere Schritte vernimmt. Der Boden zittert
und plötzlich erscheint Oskars Vater im Höhlen-
eingang. Überrascht bleibt der große Fressdrache

stehen und brummt: »Was ist denn das für ein Gequassel vor der Höhle? Huch – da bist du ja wieder! Hast du Büffelfleisch besorgt?«

Oskar zeigt auf das Gulasch und antwortet: »Das ist Büffelgulasch von den Sioux-Indianern, eine extragroße Portion für dich, Papa.«

Oskars Vater schnüffelt und probiert. Er leckt sich die Pfote ab und probiert nochmal. Dann verputzt er in Nullkommanix das ganze Gulasch, bis kein Krümel mehr übrig ist.

»Das schmeckt ja oberochsenmäßig gut!«, sagt der Fressdrache. »Da könnte ich gleich noch zwanzig weitere Portionen verdrücken!«

»Ehm, echt Büffel«, sagt Oskar.

»Ja klar«, brummt Oskars Vater. »Präriehase ist es bestimmt nicht. Ich weiß ja wohl, wie Büffel schmeckt!«

Da treten Kokosnuss und Matilda zögernd aus dem Gebüsch hervor.

»Was machen die beiden denn hier?«, fragt der große Fressdrache.

»Sie haben mir geholfen«, erklärt Oskar.

»Aha, hm, vielleicht könntet ihr mir gleich noch ein Portiönchen von dem Büffelgulasch besorgen. Der Eugen fliegt euch bestimmt. Er schuldet mir nämlich noch einen Gefallen.«

»Papa, das geht nicht«, sagt Oskar, »wir müssen morgen zur Schule und bis dahin noch eine Menge büffeln.«

»Äh, büffeln? Ach so, für die Schule büffeln, verstehe, höhö. Äh, dann vielleicht ein andermal?«

»Geht klar«, sagen Oskar, Kokosnuss und Matilda. In diesem Moment bimmelt im Innern der Höhle eine Glocke.

»Ah!«, jauchzt Oskars Vater. »Die Ochsen mit Honigkruste sind fertig. Öhm, und Obst und Gemüse und Haferbrei für euch Rackerchen gibt es bestimmt auch.«

Und bevor Oskar seine Freunde Kokosnuss und Matilda nach Hause bringt, essen die drei in der Fressdrachenhöhle zu Mittag und berichten von ihrem Abenteuer bei den Indianern. Nur eine kleine, büffelige Sache behalten sie lieber für sich ...

Foto: privat

Ingo Siegner, 1965 geboren, wuchs in Großburgwedel auf.
Schon als Kind erfand er gerne Geschichten. Später brachte
er sich das Zeichnen bei. Mit seinen Büchern vom kleinen
Drachen Kokosnuss, die in viele Sprachen übersetzt sind,
eroberte er auf Anhieb die Herzen der jungen LeserInnen.
Ingo Siegner lebt als Autor und Illustrator in Hannover.

Ingo Siegner
Der kleine Drache Kokosnuss und das Vampir-Abenteuer

72 Seiten, ISBN 978-3-570-13702-4

Der kleine Drache Kokosnuss und seine Freundin Matilda trauen ihren Augen nicht: Ein Vampir-Junge vollführt halsbrecherische Flug-Manöver über der Dracheninsel und versetzt alle in Angst und Schrecken. Was soll das? Will Bissbert die Inselbewohner beißen und alle zu Vampiren machen? Nur gut, dass Kokosnuss mutig genug ist, der Sache auf den Grund zu gehen: Vampir-Junge Bissbert sucht nämlich verzweifelt die eine Drachen-Blutgruppe, die Nachtblindheit bei Vampiren heilen kann! Denn Bissberts Vater fliegt nachts immer häufiger gegen Kirchtürme und Wolkenkratzer! Ob Kokosnuss und Matilda die Drachen überreden können, dem kleinen Vampir zu helfen?

cbj

www.cbj-verlag.de

Ingo Siegner
Der kleine Drache Kokosnuss
im Spukschloss

72 Seiten, mit farbigen Illustrationen, ISBN 978-3-570-13039-1

Vor einem nächtlichen Gewitter retten sich der kleine Drache Kokosnuss und seine Freundin Matilda ins Schloss Klippenstein. Doch an eine geruhsame Nacht ist nicht zu denken: Beim zwölften Schlag der Turmuhr taucht ein kopfloses Gespenst auf und versetzt die Freunde in Angst und Schrecken. Kokosnuss und Matilda erfahren, dass im Schloss die Gespensterdame Klemenzia haust, die niemanden in ihrer Nähe duldet. Höchste Zeit, das ungehobelte Gespenst in seine Schranken zu weisen ...

cb j

www.cbj-verlag.de

Alle Kokosnuss-Abenteuer auf einen Blick:

Der kleine Drache Kokosnuss (978-3-570-12683-7)

Der kleine Drache Kokosnuss kommt in die Schule (978-3-570-12716-2)

Der kleine Drache Kokosnuss – Hab keine Angst! (978-3-570-12806-0)

Der kleine Drache Kokosnuss und der große Zauberer (978-3-570-12807-7)

Der kleine Drache Kokosnuss und der schwarze Ritter (978-3-570-12808-4)

Der kleine Drache Kokosnuss und seine Abenteuer (978-3-570-13075-9)
gekürzte Fassung des Bilderbuchs »Der kleine Drache Kokosnuss« (978-3-570-12683-7)

Der kleine Drache Kokosnuss – Schulfest auf dem Feuerfelsen (978-3-570-12941-8)

Der kleine Drache Kokosnuss besucht den Weihnachtsmann (978-3-570-13202-9)

Der kleine Drache Kokosnuss und die Wetterhexe (978-3-570-12942-5)

Der kleine Drache Kokosnuss reist um die Welt (978-3-570-13038-4)

Der kleine Drache Kokosnuss und die wilden Piraten (978-3-570-13437-5)

Der kleine Drache Kokosnuss im Spukschloss (978-3-570-13039-1)

Der kleine Drache Kokosnuss und der Schatz im Dschungel (978-3-570-13645-4)

Der kleine Drache Kokosnuss und das Vampir-Abenteuer (978-3-570-13702-4)

Der kleine Drache Kokosnuss und das Geheimnis der Mumie (978-3-570-13703-1)

Der kleine Drache Kokosnuss und die starken Wikinger (978-3-570-13704-8)

Der kleine Drache Kokosnuss auf der Suche nach Atlantis (978-3-570-15280-5)

Der kleine Drache Kokosnuss bei den Indianern (978-3-570-15281-2)

Der kleine Drache Kokosnuss im Weltraum (978-3-570-15283-6)

Der kleine Drache Kokosnuss reist in die Steinzeit (978-3-570-15282-9)

Der kleine Drache Kokosnuss – Schulausflug ins Abenteuer (978-3-570-15637-7)

Der kleine Drache Kokosnuss bei den Dinosauriern (978-3-570-15660-5)

Der kleine Drache Kokosnuss und der geheimnisvolle Tempel (978-3-570-15829-6)

Der kleine Drache Kokosnuss und die Reise zum Nordpol (978-3-570-15863-0)

Der kleine Drache Kokosnuss – Expedition auf dem Nil (978-3-570-15978-1)

Der kleine Drache Kokosnuss – Vulkan-Alarm auf der Dracheninsel (978-3-570-17303-9)

Der kleine Drache Kokosnuss bei den wilden Tieren (978-3-570-17422-7)